Bronisława Ostrowska

Dzięcioł puka, sroczka skrzeczy

ilustracje
Małgorzata Flis

ZYSK I S-KA
WYDAWNICTWO

Redaktor prowadzący
Katarzyna Lajborek-Jarysz

Ilustracje oraz projekt graficzny
Małgorzata Flis

Skład i łamanie
Pracownia Grafiki

ISBN 978-83-7785-080-0

Zysk i S-ka Wydawnictwo,
ul. Wielka 10, 61-774 Poznań
tel. 61 853 27 51, faks 61 852 63 26
dział handlowy, tel./faks 61 855 06 90
sklep@zysk.com.pl
www.zysk.com.pl

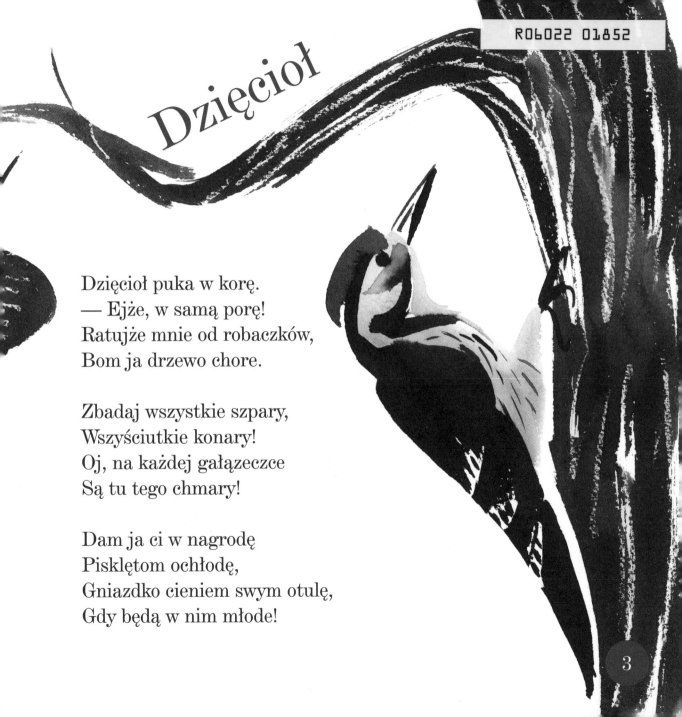

Dzięcioł

Dzięcioł puka w korę.
— Ejże, w samą porę!
Ratujże mnie od robaczków,
Bom ja drzewo chore.

Zbadaj wszystkie szpary,
Wszyściutkie konary!
Oj, na każdej gałązeczce
Są tu tego chmary!

Dam ja ci w nagrodę
Pisklętom ochłodę,
Gniazdko cieniem swym otulę,
Gdy będą w nim młode!

Kret

Skąd to świeżej ziemi
Skopany kurhanek
Wyrósł mi na klombie
Przez dzisiejszy ranek?

Aż mi się pochylił
Biały goździk w kwiecie!
Ej, to twoja sprawka,
Mości panie krecie!

Futro aksamitne,
Łapki pracowite,
Pyszczek wciąż wietrzący,
Gdzie glisty ukryte.

Szukaj ty ich lepiej
Nie w moim ogrodzie,
Bo tu — żadną miarą
Nie będziemy w zgodzie!

Biednyś ty, że w ziemi
Siedzisz tak bez końca!
Żal mi ciebie, krecie,
Że nie znosisz słońca.

5

Zające

Niezabudki dzieci rwały
Na wilgotnej łące,
Gdy spod nóg im się zerwały
Dwa młode zające.

Dzieci w nogi całą zgrają,
Krzycząc przerażone:
Tam zające w strachu gnają,
Dzieci w drugą stronę.

Zatrzymajcież się na chwilę,
Drodzy państwo moi!
Sprawdźcież, o co strachu tyle?
Kto się kogo boi?

Lis

Rudy lis z długą kitą
Ostrożnie wyszedł z jamy.
— Oj, my cię nie wydamy,
Boby wnet cię zabito!

Szkodnik jesteś prawdziwy,
A futro masz — aż miło!
Gdybym ja był myśliwy,
Już by po tobie było.

Chowaj się do kryjówki!
W niej cię nikt nie wyszuka:
Skrył ją wrzos i borówki
Tak, że trafić tu sztuka!

9

Jeż

Na pustej dróżce w lesie
Nasz piesek, czarny szpic,
Szczeka, aż echo niesie,
Choć wkoło nie ma nic.

Odgarnia dookoła
Gałązki, chrust i liść —
I szczeka, piszczy, woła:
Trzeba do niego iść.

„Ach, Zosiu! nie trać chwilki!"
„Ach, Kaziu i ty też!"
„Patrz — piłka, a w niej szpilki!"
„To kaktus!" „Nie — to jeż!"

„Pyszczek i cztery nóżki
On umie chować tak.
Zaszczekał pies wśród dróżki,
Dla jeża to zły znak.

Lecz wnet się uspokoi,
Zabierzcie tylko psa!
Puśćcie go, mili moi —
Sam sobie radę da".

Wiewiórki

Wiewiórki młode dwie
Na sośnie się spotkały:
„Jak pani spędza dnie?
Co robi przez dzień cały?"

„Ja skaczę cały dzień,
Ciesząc się ciepłym słonkiem,
Lub śpię zaszyta w cień
Nakrywszy się ogonkiem".

„A, proszę pani, ja
Gromadzę wciąż zapasy
Na czas, gdy zima zła
Pokryje śniegiem lasy".

Sroczka

Czarny ogon, czarne oczka —
To jest, proszę, nasza sroczka.
Biały brzuszek, białe boki…
Zresztą, — chyba znacie sroki.

Od poranka do wieczora
Sroczka skrzeczy — pewnie chora!
A to mięsa, a to chleba,
A to sera sroczce trzeba.

I do rzeczy i od rzeczy
Głodna skrzeczy, syta skrzeczy…
Wreszcie skrzydła jej odrosły
I przez okno w świat poniosły.

Choć się przyznać nie ośmielił,
Każdy w duszy się weselił:
Wszyscy byli radzi z ciszy,
Że już wrzasku nikt nie słyszy.

Pliszka

Jak tu dziś na podwórzu
Pełno słońca i kurzu!
Z pola zwozi się zboże,
Każdy śpieszy jak może.

Ktoś tam śpiewa, ktoś woła…
Ruch i praca dokoła.
Pliszka skacze na płocie —
Dziwi się tej robocie.

Oj, znowu wozy jadą!
Dziewki lecą gromadą…
Pobiegnę po braciszka,
Poskaczemy jak pliszka.

Brzęczą kosy na łące,
Brzęczą sobie wesoło,
Aż uciekły zające
Chyba na wiorstę wkoło.

Pan bocian długonogi
Chodzi se wedle drogi,
Wyławia żaby z rowu,
Klekoce rad z połowu.

Kosiarze raźno koszą,
Śpiewy z wiatrem się noszą…
Z drogi, panie bocianie!
Bo niesiemy śniadanie!

Bocian

Skowronek

Skowroneczek, skowroneczek,
Srebrny polskich pól dzwoneczek,
Dzwoni polom pieśń poranną
Nieuchwytną, nieustanną.

Czy to szarej ziemi grudka,
Tak malutka, tak malutka,
Nagle żywych piór dostała
I w powietrze uleciała?

Czy to z kropel rannej rosy
Płyną te srebrzyste głosy,
Rolnikowi śląc nadzieje,
Kiedy w bruzdy ziarno sieje?

Pisklęta

Jaskółcze pisklęta usiadły
Na skraju gniazdeczka na dachu.
I widać, jak drżą, by nie spadły,
Jak wiele tam pisku i strachu.

A matka i ojciec wciąż wraca:
I krąży i uczy je lotu.
A jaka cierpliwa to praca!
Co z tymi małymi kłopotu!

I jakie żarłoczne te młode!
Co które skrzydełka rozstawia,
To prosi o muszkę w nagrodę
I dziobek szeroko rozdziawia.

Gil

Gil wesoły, krasnopierzy
Z kępy białych brzóz
Sfrunął śmiało na śnieg świeży,
Choć na dworze mróz.

Chociaż zimny wicher niesie
Gnąc wierzchołki drzew,
Gil rozgląda się po świecie
Nucąc raźny śpiew.

Rad i wesół z każdej biedy
Wśród najgorszych chwil —
Wzorem mógłby być niekiedy
Krasnopióry gil.

23

Wróbelki

Kochane szare wróbliki
Zimą na nagich drzew wiązki
Usiadły, — jak koraliki
Nizane skroś na gałązki.

Biedzą się, radzą, kłopocą
I świergot wznoszą żałosny:
Idzie narada przed nocą,
Czy to daleko do wiosny?

I jeden wraz przez drugiego
Szczebioce, prawi a śpiewa,
Że gońce wiosny już biegą
Choć ich się nikt nie spodziewa,

Że w nocy zakwitną sady,
Dojrzeją słodkie jagody,
Zabrzęczą w słońcu owady,
Zapachną kwieciem ogrody…

I z wolna świergot swój wielki
Ścisza gromadka żałosna,
I zasypiają wróbelki,
I wszystkim im śni się — wiosna.

Świerszczyk

Świerszczyk w mojej izdebce
Z wieczora aż po świt
Piosenkę raźną szepce:
„Źle ci? to cyt! to cyt!"

Świerszczyk — to druh mój stary.
W szpareczce swojej skryt
Odprawia dziwne czary:
„Źle ci? to cyt! to cyt!"

Cichutka ta muzyka
To klucza baśni zgrzyt.
Słuchajcie wy świerszczyka:
„Źle ci? to cyt! to cyt!"

Ślimaki

Dwa ślimaki wzdłuż drogi,
Niosą na plecach domki.
„O, pokazały rogi!
Daj im grosz na pierogi".

„Na co ślimakom grosze?
Lepiej zróbmy inaczej:
Do domu je zanoszę,
A was — na widzów proszę.

Damy na stół tych gości
I zrobimy wyścigi!
Cel — liśćmi się wymości…
Będzie gra cierpliwości!"

Komar

Wodny komar ubogi
Buczy cienko, oj, cienko,
I zgina długie nogi:
„Ugryzę cię, panienko".

„Ej, komarze, niecnoto,
Szkodnik ty jesteś wielki!
O, krew moja nie po to!
Nie dam ci ni kropelki!"

Rak

W mule na rzeczki dnie
Siedzi ukryty rak:
„Ej, chłopcze, nie rusz mnie,
Bo będzie z tobą źle!

Uszczypnę — będzie znak!
Kleszcze i wąsy mam
I chodzić umiem wspak!
Na straży tutaj trwam.
Precz, chłopcze, ja tu sam!
Ja — rycerz rzeczki — rak…"

29

Mrówki

Między szpilki i borówki
Idą, idą rude mrówki.
Idą, idą szeregami,
Jakby się witały z nami.

Jak ich tutaj pełno w lesie!
A każdziutka coś niesie:
Jedna słomkę, druga muszkę…
Patrz, zajęły całą dróżkę.

Bo ta dróżka, moja złota,
To — patrz tylko — ich robota:
To gościniec do mrowiska,
Nic się nie bój! podejdź z bliska!

Widzisz, jaki kopiec duży!
Ach, nie zepsuj! Bądź ostrożna!
Posiedzimy tutaj dłużej,
Patrz, co społem zrobić można.

Pszczoła

Jestem sobie pani pszczoła,
Pracowita i wesoła.
Krążę, krążę, co mam sił,
Zbieram z lipy złoty pył.

Ja stworzenie gospodarne:
Duży zapas miodu zgarnę
Z pachnącego kwiecia lip…
Syp się, pyłku! bujnie syp!

Czy widzicie ule złote?
Tam poniosę mą robotę.
Czy lubicie wonny miód?
Będzież jego! będzie w bród!

Słonko świeci jasną twarzą,
Moje siostry rojnie gwarzą.
Każda świeci się jak skra.
Cała lipa od nas gra!

Gąsienica

Lezie liszka kosmata,
Ciemnobura ze złotem —
Wśród kwiatów, kędy motyl
Krąży radosnym lotem.

A dzieci się gniewają:
Po co to liszek tyle?
Czy nie lepiej, by żyły
Same tylko motyle?

Lecz kwiaty z wiatru wiewem
Śmieją się cicho z dzieci:
„Trzeba być gąsienicą,
Nim motylem się wzleci!"

Spis treści